Pour la première fois

CHEZ LE DENTISTE

KATE PETTY
et
LISA KOPPER

Éditions Gamma – Éditions Héritage Inc.
Paris – Tournai – Montréal

Paul a rendez-vous chez le dentiste.
Il regarde les affiches de la salle d'attente,
puis admire les poissons avec Stéphanie.
"Est-ce bientôt notre tour?"

L'assistante les invite justement
à entrer dans le cabinet du dentiste.
Mais où va Paul?
Maman ordonne : "Reviens immédiatement!"

"Installe-toi dans le fauteuil, Paul.
Ainsi, Stéphanie pourra bien voir
ce que nous faisons."
Paul ne dit rien, mais il est un peu inquiet.

Stéphanie se blottit dans les bras de Maman.
"Veux-tu me laisser compter tes dents?"
Stéphanie ouvre bien grand la bouche.
". . . Vingt dents bien saines . . . Parfait!"

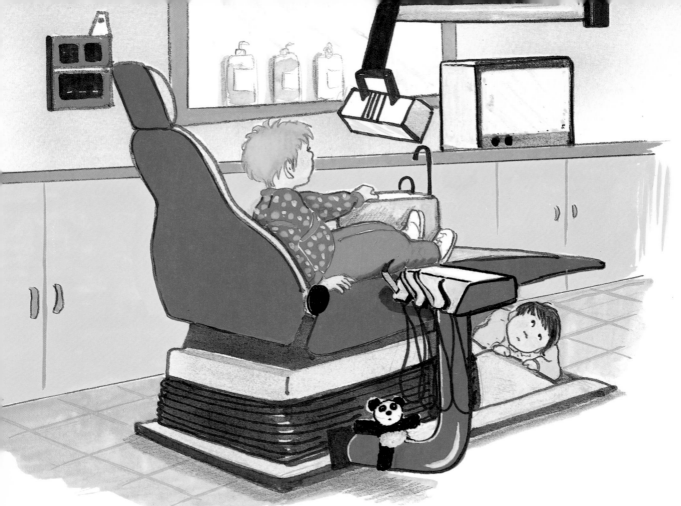

Pendant ce temps, Paul s'amuse à grimper
dans le fauteuil et à en descendre.
Il observe cadrans et appareils.
On se croirait dans un vaisseau spatial . . .

Le dentiste contrôle une à une les dents
de Paul. L'assistante prend des notes.
"Celle-ci a un petit trou. Je vais le boucher
avant qu'il ne te fasse mal."

Une autre dent est légèrement grise.
"As-tu reçu un coup sur cette dent?"
Paul se souvient d'une fameuse chute.
Maman aussi!

"Une radiographie nous montrera la nouvelle dent qui s'apprête à la remplacer.
Mais je vais d'abord faire le plombage."
L'assistante met à Paul une sorte de bavoir.

Que le sifflement de l'appareil est énervant!
Le dentiste explique:
"La fraise enlève la partie cariée."
Heureusement, cela ne fait pas mal.

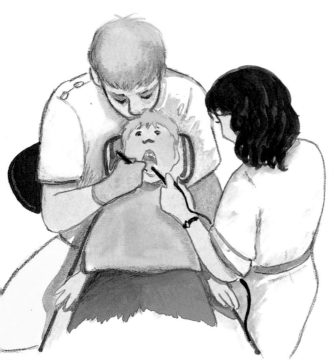

De l'eau sort de la fraise. L'assistante place un tuyau dans la bouche de Paul. Ainsi, l'eau est aspirée.

Puis elle prépare le plombage.

Le dentiste presse ce mélange
dans le trou de la dent.
Cela fait un bruit bizarre
mais ce n'est pas douloureux non plus.

"Ferme la bouche
et serre les mâchoires."
Paul ne parvient pas
à bien fermer la bouche!

Le dentiste gratte
le plombage jusqu'à
ce que les dents
s'ajustent parfaitement.

Paul se rince la bouche avec une
eau rose, au goût agréable.
"Ne l'avale pas, Paul!"
Paul crache l'eau.

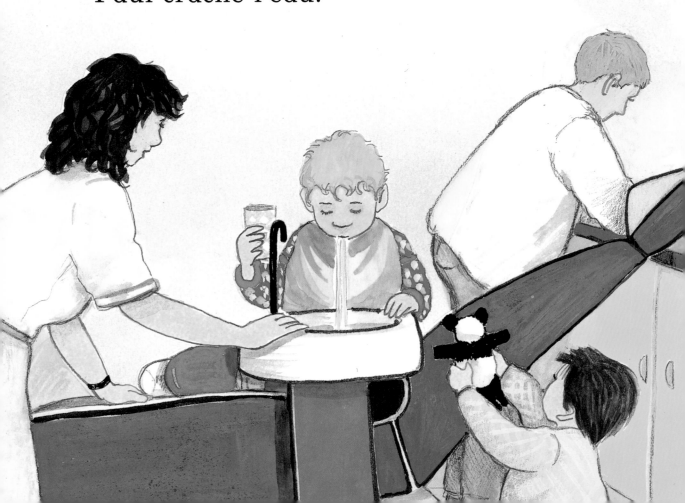

"Ouvre la bouche une dernière fois."
Le dentiste polit les dents de Paul.
Paul a maintenant de belles dents
bien blanches et bien brillantes.

L'assistante va prendre la radiographie.
Paul mord dans un carton spécial
et reste assis sans bouger.
La radio est faite . . . et il n'a rien senti !

"Voilà une photo de ta mâchoire",
dit le dentiste. "Tu peux voir
la nouvelle dent qui s'apprête à percer.
Tout me paraît normal."

Paul et Stéphanie reçoivent un autocollant.
Ils l'ont bien mérité.
Maman achète des brosses à dents et
prend un nouveau rendez-vous dans six mois.

"Maman! Achète-nous des bonbons,
s'il te plaît!"
"NON. C'est très mauvais pour les dents.
Nous achèterons plutôt des pommes."

la salle d'attente

l'assistante

le dentiste

le fauteuil d'examen